清康熙十八年本

芥子園畫譜

第一集　卷五　金陵沈心友刊

方冊式

岡巒相經亘雲水氣參錯林迥峽角來天窄壁面削

杜少陵青陽峽見李龍眠曾擬此作峽江圖

楊柳陰濃夏日遲邨邊高館漫平
池鄰翁挈榼乘涼早來決輸
贏昨日棋唐子畏詩并画

中國傳世畫譜

芥子園畫譜 卷五 七

芥子園畫譜 卷五 八

古磴高盤鬱岧嶢
樹埼稜層鎖霧寒
積雪洞門常慘慘
天風日日轉蕭蕭
李空同詩畫本
夏珪

霜落蒹葭水國寒
浪花雲影上漁竿
畫成未擬將人去
茶熟香溫且自看
雲林
寄興
老木
虛堂

傍大湖
瞻朗
不窮
塵陽對
一痕
山影
浮螢齊
李竹懶詩意
男搓雲林也

仿黃一峯富春山圖
弓溯蕭雲居

中國傳世畫譜
芥子園畫譜 卷五
芥子園畫譜 卷五

芥子園畫譜　卷五　一四

摹馬遙父
徐天池詩 不負青天睡這
場菜花落盡尚黄粱夢中
有客刳腸看笑我腸中
祇酒香可与並傳也

雪嶺界天白
杜浣花句畫以洪谷子雪棧圖

高房山學米襄陽

吾友王子安節著畫學淺說并采古法
負而圖伯沈子剞劂以行友曰為畫家鑒破
混沌矣余曰不然此中有真筆焉而特不
得其筆筆即步步閣合趨趨小藝精益緣
耳或請問真筆何揭王子讀書二字示
之畫王子讀書之餘曰淺說不知其謂讓語
其能謂如語

虞山弟錢陸燦書

芥子園畫譜
卷五

宮紈式

秋雲類秋水安得散爲水乍響寒松邊有險當
澗瀑畫所無能到崖翠藏層層白連天壤遥峯何奇
登巖錫棨年筆寫於廣陵舟中

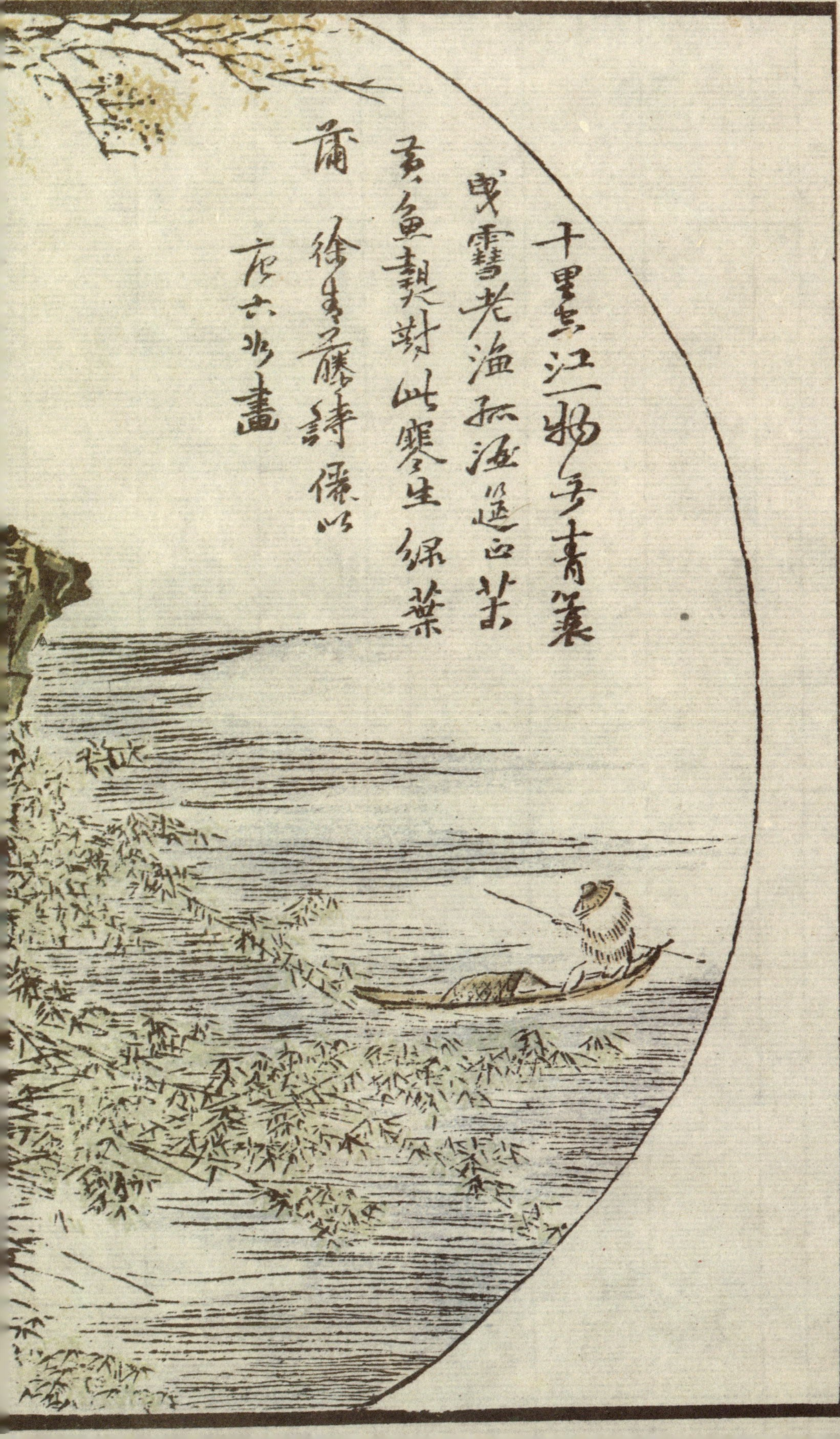
千里孤江一物無青簑
曳雪老漁孤艇遥西
黃魚煑對此寒生綠葉
蒲 徐青藤詩 倣以
畫

胡長伯画自文五
峰入手晚乃出入
叔明子久其筆古
質頗類五代以肯
人書學禮器碑

芥子園畫譜 卷五

中國傳世畫譜

芥子園畫譜 卷五 二九

芥子園畫譜 卷五 三〇

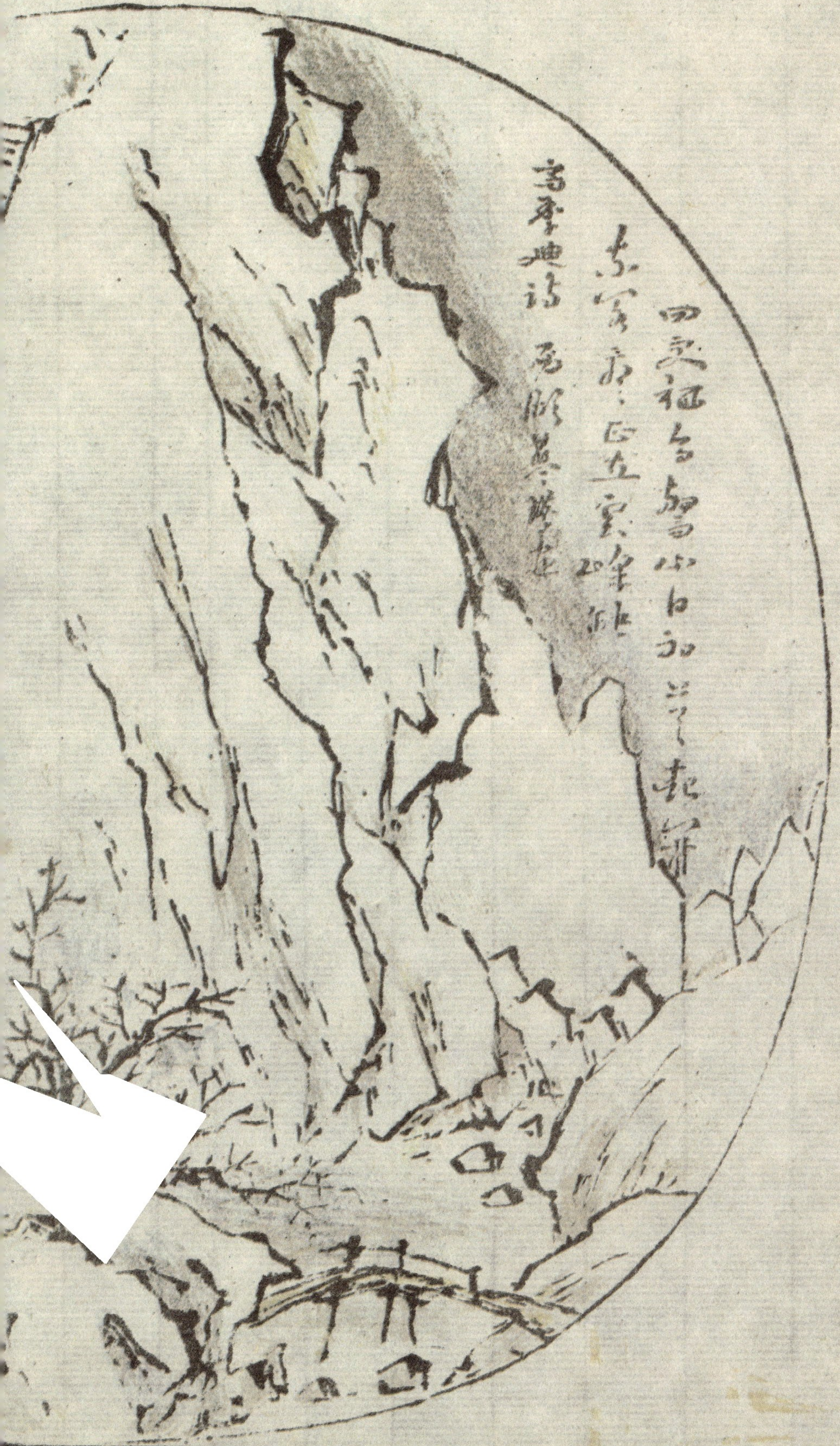

芥子園畫譜 卷五

蜀地多盤屈插天多峭嶂
瀑泉吼雨噴怪石轟欻落
種田燒白雲所漆響用壑
行隨拾蠹犢歸對巢棲鶴
王摩詰蔦學饒詘
雄奇蒼鬱非呂李咸
熙之筆寫之不可

襄陽西彥寶居
茳樺闊小軒跋
樓臨江值泉漲
樵宜知巾八席
閒賞勝泊靜山
看貌讀工材明
畫之

秋明書款多用小
篆款画添亦多有
篆章

秋湖夜泛宝江渚
晓树离离含宿雨
伊轧中深闹橹
声卧孤游人
隔塍语

煙柳
雲树留淡白氣
蒸山腹生源奉
吳彦高寫以米灵仁
法由家乃弟自多吻
合

中國傳世畫譜

芥子園畫譜 卷五

芥子園畫譜 卷五

三九

四〇

芥子園畫譜 卷五

雲林有題山水
贈子膺徽史沖
山靜淒芒氣薄
主盎皆類其
入

倣宋丞畫
蕭堂從徽於樸石山房

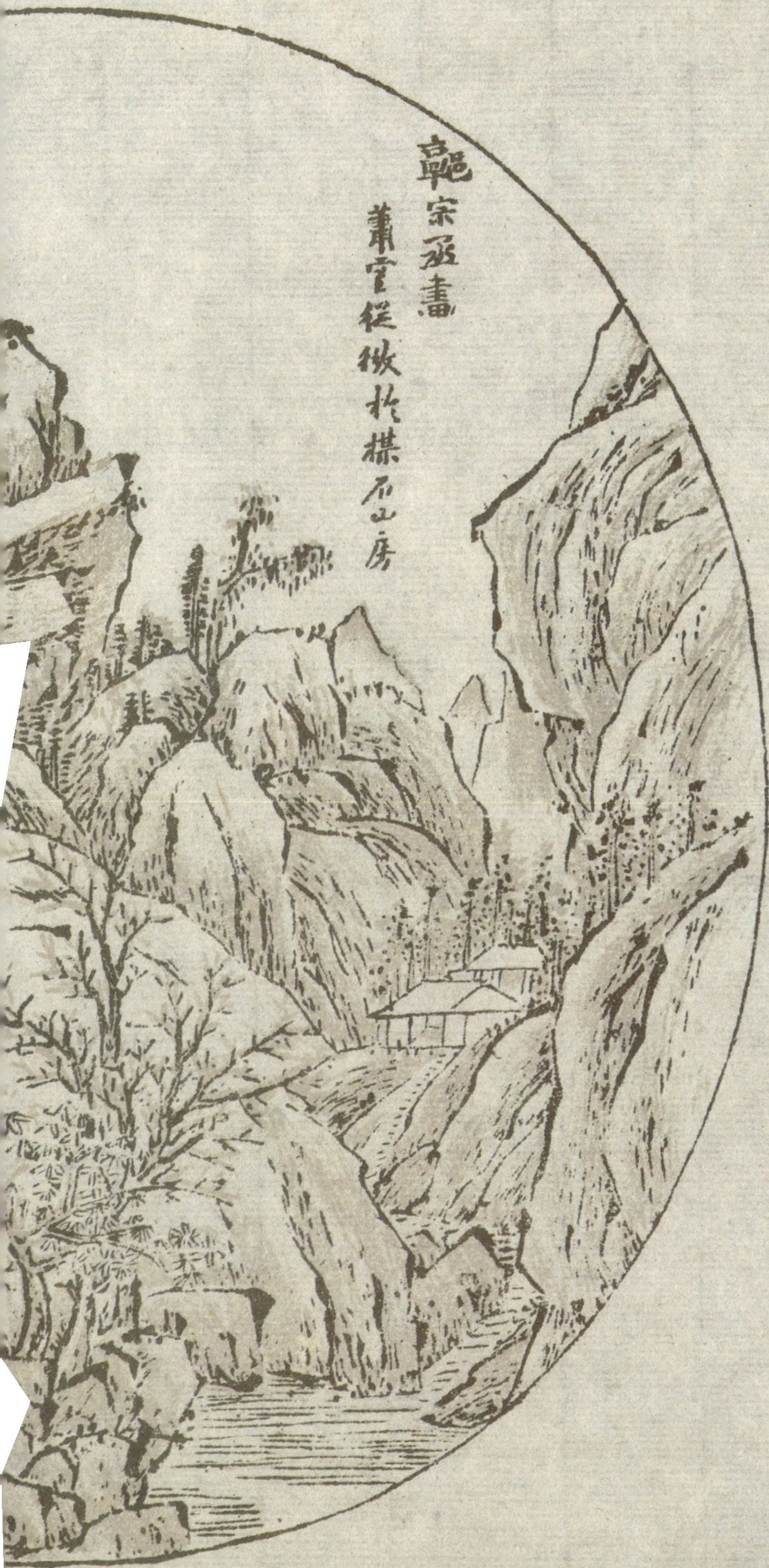

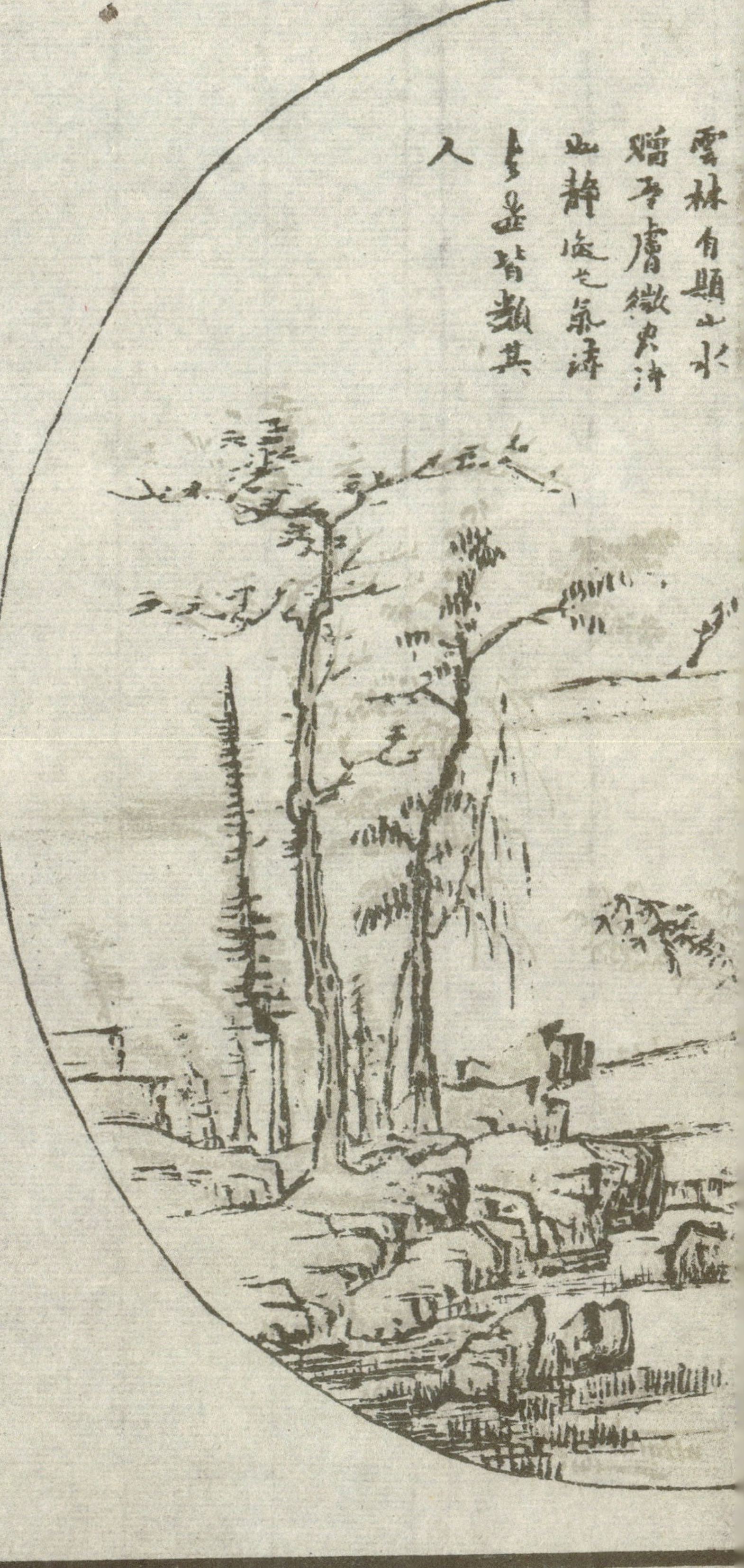

書顧命體於莊穆也呂泰做而爲畫訣則化莊穆以
爲奇逸紙上騎士躍躍此豈非學古者李北海曰學我者拙
似我者死非不欲後人學已恐不能學留鍼砭耳余聞窗保
筆竟若溪上桃花不能禁其源出人去自放以往不善
學我我濫爛即龍學我我蓋濫爛何以故不善學我因
以拙還我善學泰也遭巧竊并不能剩還我拙矣
綉水王槩安節氏炙硯自題

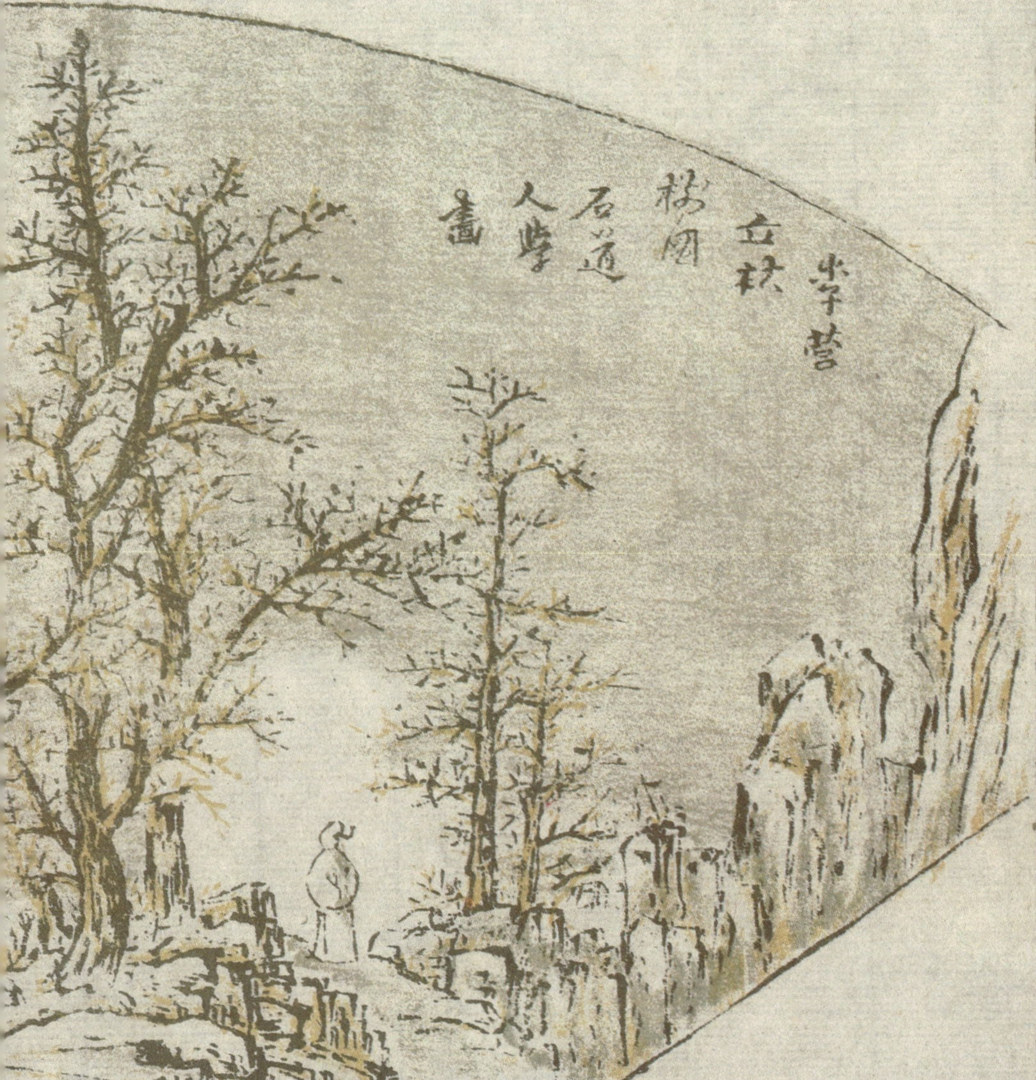

中國傳世畫譜
芥子園畫譜 卷五 四五
芥子園畫譜 卷五 四六

摺扇式

一宿五峯杯渡
寺虛廊中夜
磬聲分疎林
未落上方月深
澗忽生平地
雲幽鳥背泉
栖靜境遠人
當所想遺文
暫來此地歇
勞足望斷故
鄉滄海濆
周賀詩畫
用范寬

此房山倣南宮非倣元暉之作米家父子雖一派宋人法就中微有辨爲拈烟

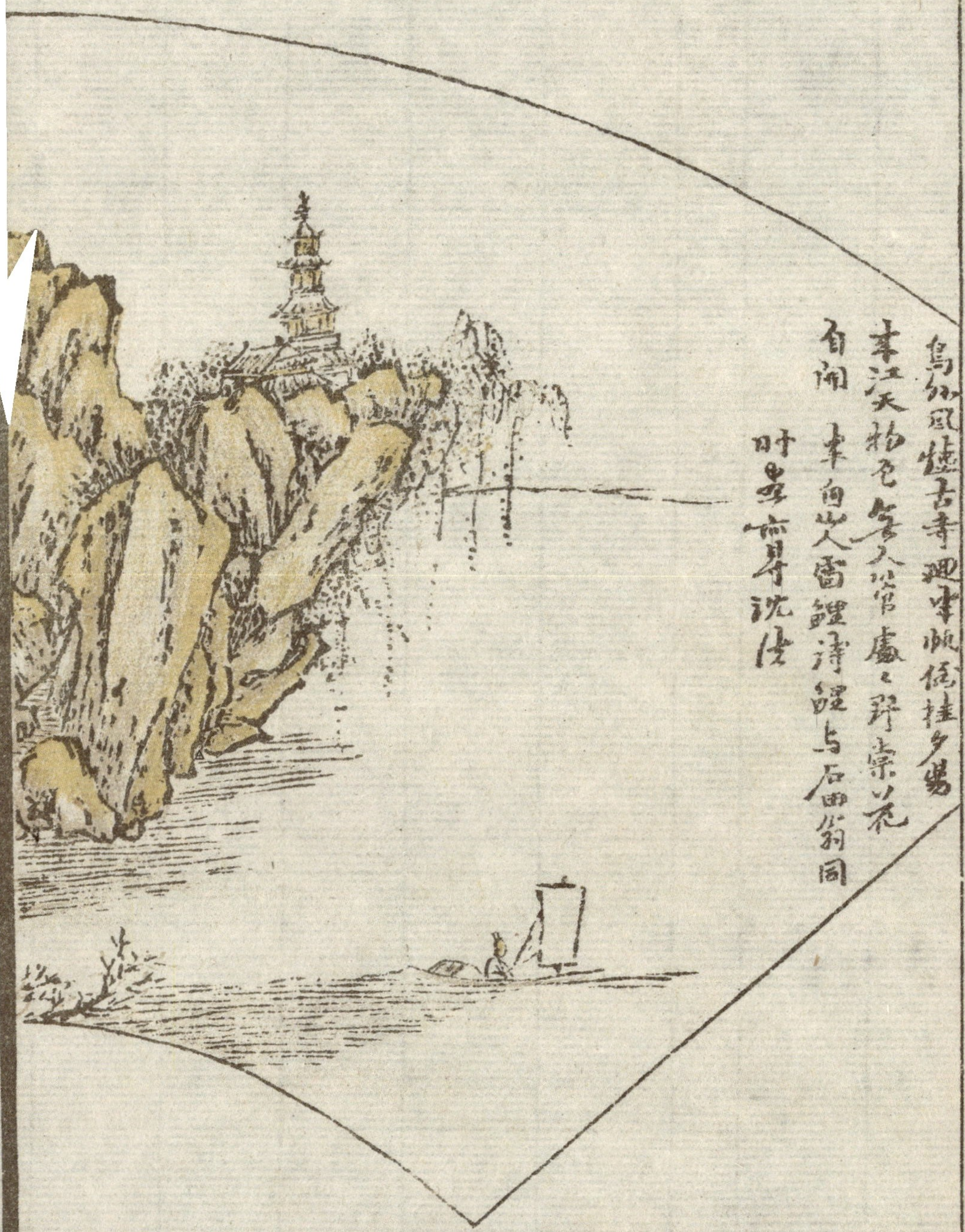
烏紗風憶古寺迴半帆低掛夕陽
來江天物色無人管處處野棠花
自開 来自山人留鐘詩鍾与石田翁同

雲縹緲中着樓臺政是元章奇絕處臨董華亭畫

相逢何事
且衰裏澤
國間苍岸
岸開見說
衡昜南太
路姝深無
雁寄書來
柯九思
詩画

芥子園畫譜
卷五

拈詩
雜畫
是以
寫之

上有煙蘿擁
拂出翠壁下
交沙石縈繚
出清漪晴天
鬱景若明鏡
正似雨夜曉
林高巖坐含
憶兔石聲鳴
長嘯響上立
屢攜擲匡廬
貴物我來坐
未道與此誰
當奇

道人寫竹并枯叢卻與禪家氣味同又拈絕無花葉相一圖

芥子園畫譜 卷五

讀高士寫開天拂石壁歌勝黃鶴山樵畫

中國傳世畫譜

芥子園畫譜

卷五

蒼老筆端中

徐文長題林木石舟詩

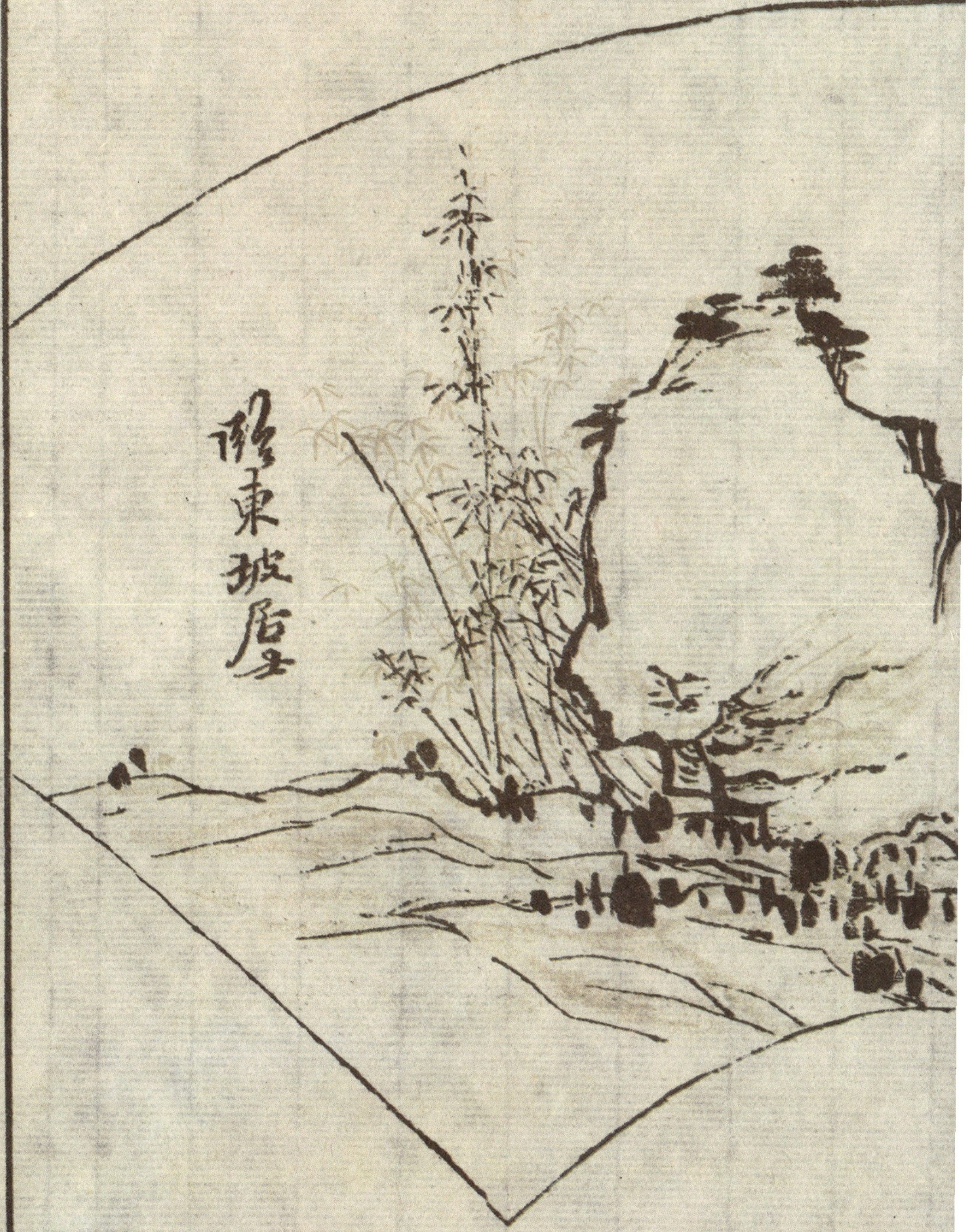

寒家蓄古人翰墨頗多而長蘅此冊最爲賞鑒家所珍重今王子擴而充之發前人所未發尤爲佳事昔蒼頡造字而天雨粟鬼夜哭爲其洩天地之秘也是書行世得無又洩天地之秘歟

克菴沈心友謹識

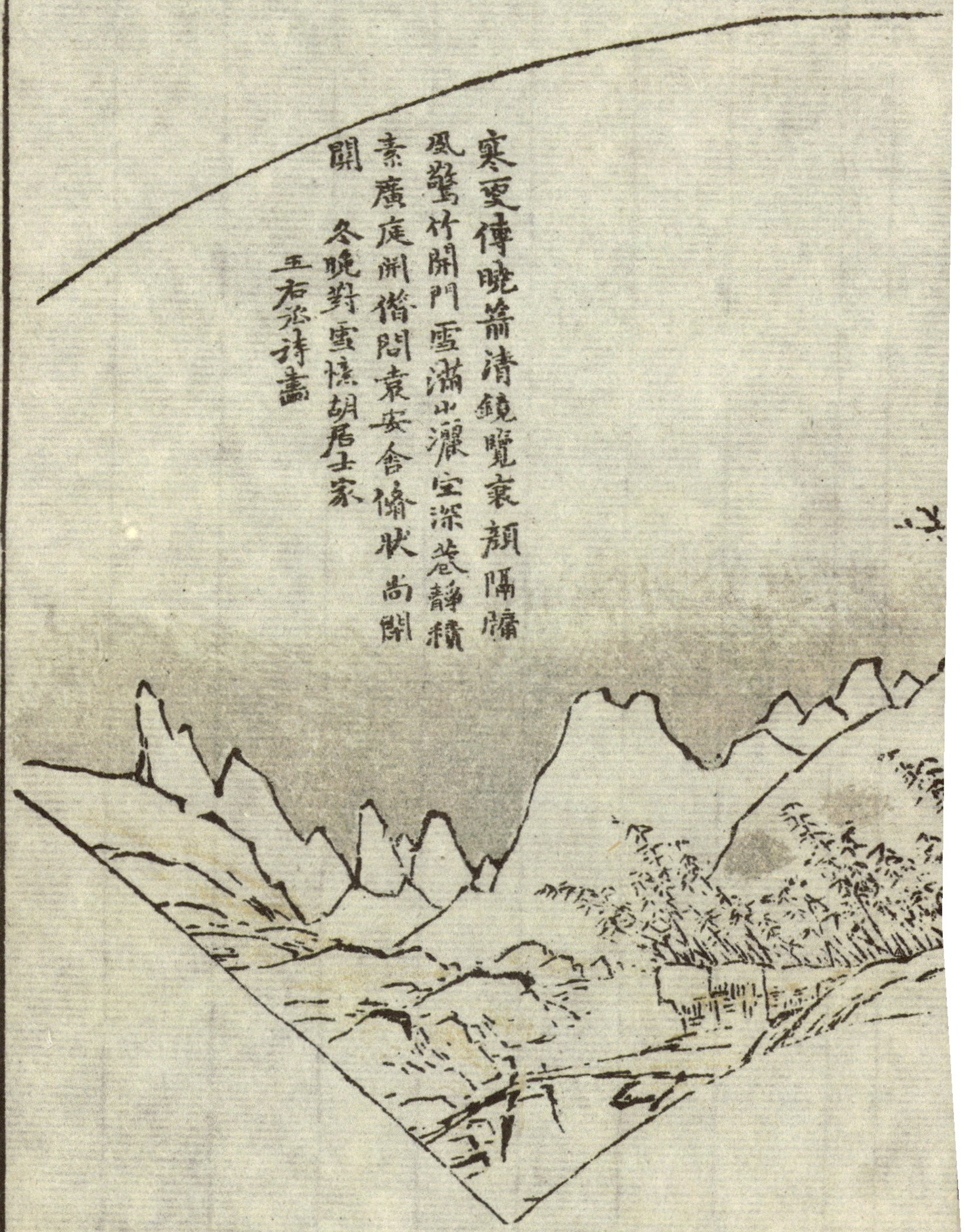
寒更傳曉箭清鏡覽衰顏隔牖
風驚竹開門雪滿山灑空深巷靜積
素廣庭閑借問袁安舍翛然尚閉
關　冬晚對雪憶胡居士家
王右丞詩意

横長各式

擬趙河陽

擬黄子久

李長蘅以品行
詩文重於世其
畫洵稱逸品

弘仁

沈石田碧梧清暑圖

楊龍友負頗異
下筆如舒雲
要我田西人看
臨一過

芥子園畫譜 卷五

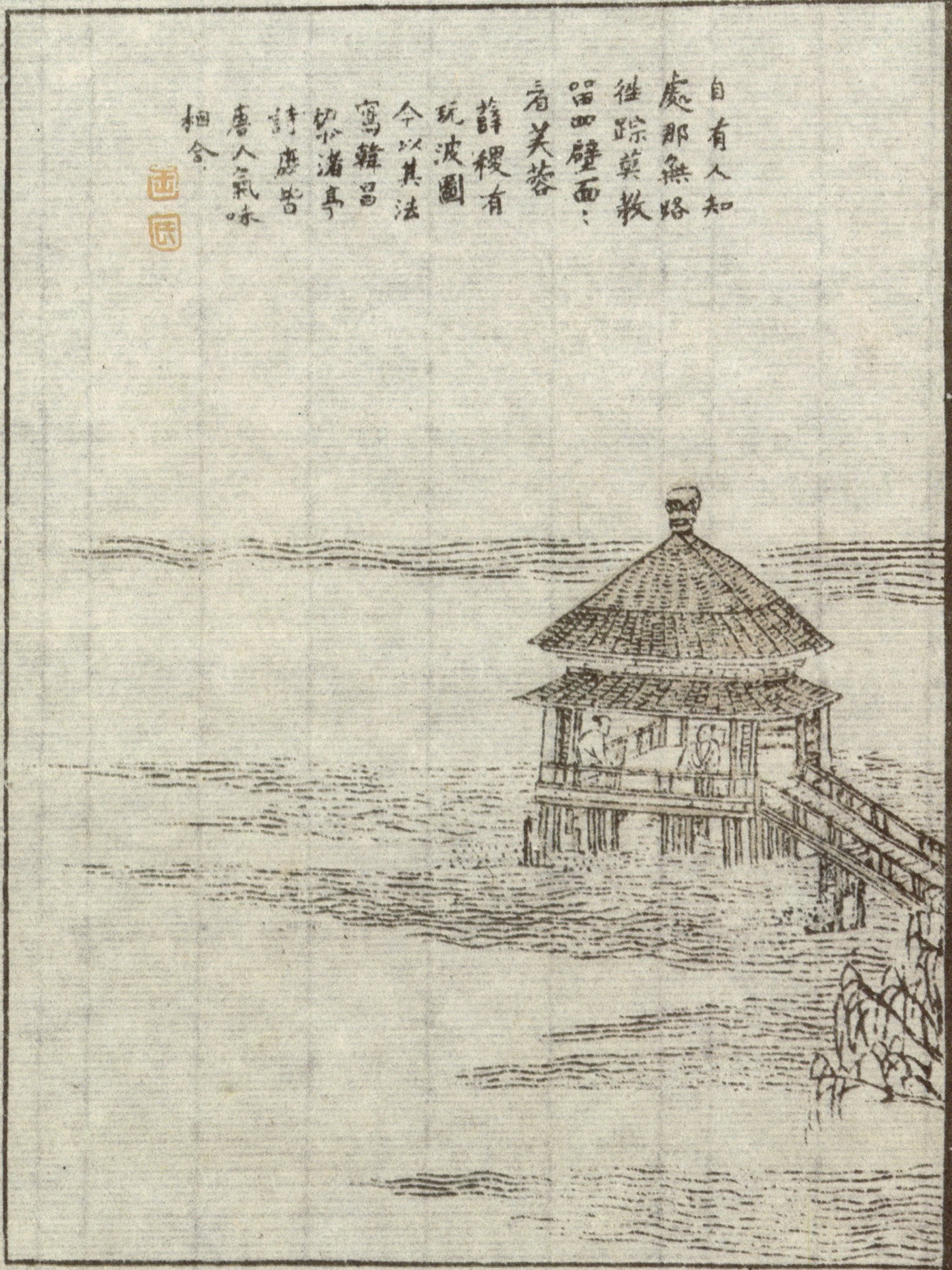

右：

簷廬四
面空中
破山翠
千迴憶
裹來
田水
日

左：

守樸忌晨夕煙
霞自吞吐泉飛
萬仞山風
送四時雨
青溪

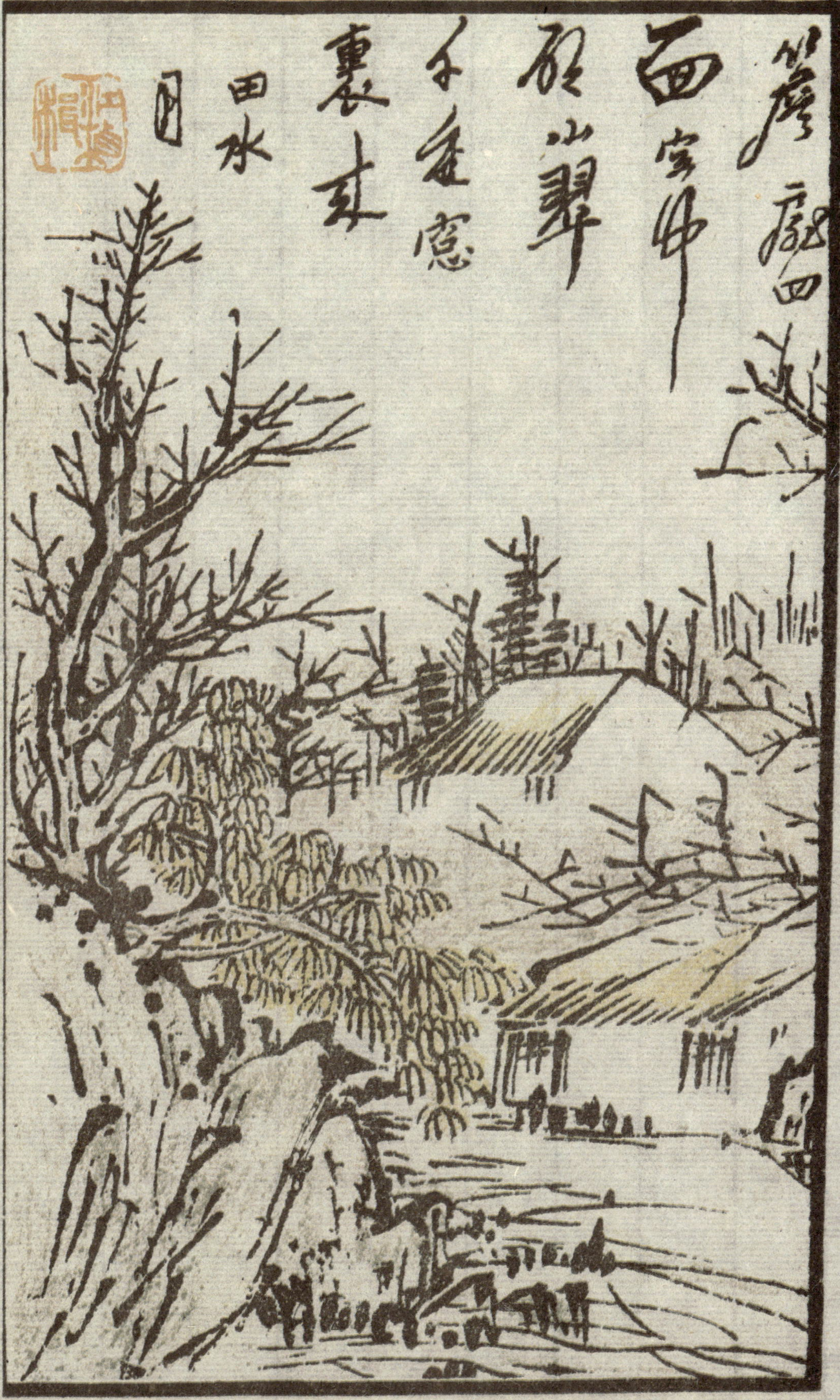

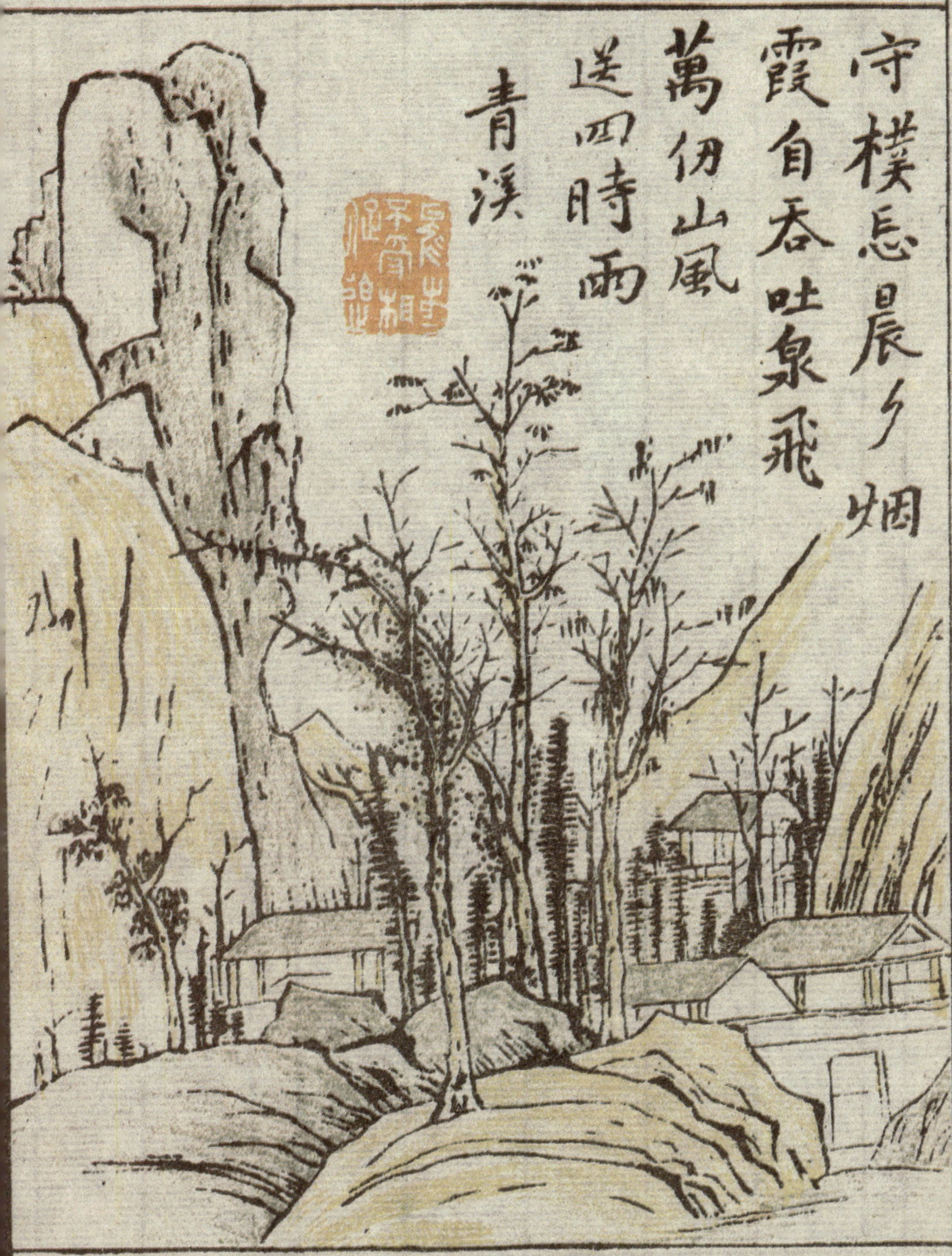

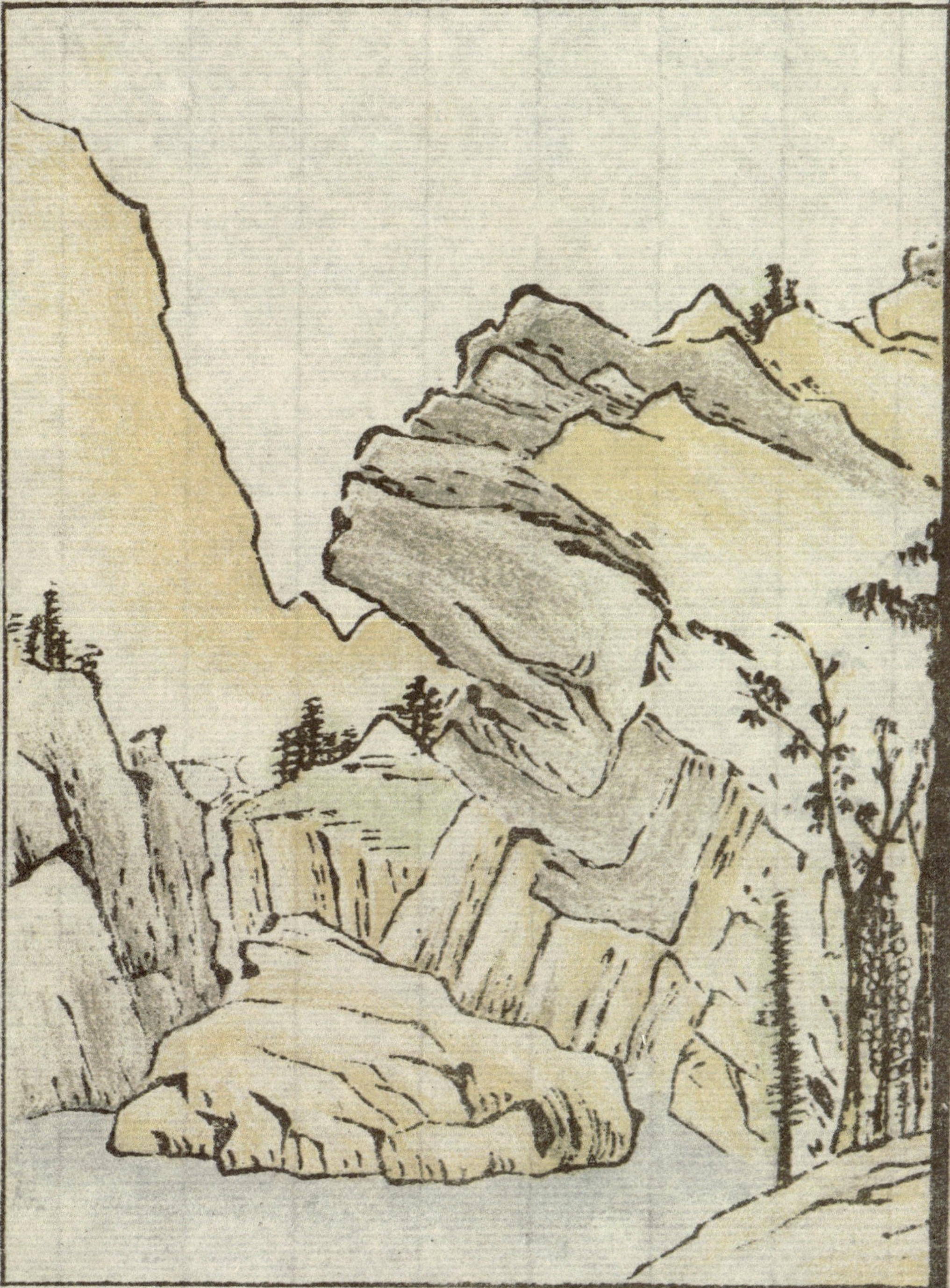

李營丘梅花書屋

是集出自前賢秘本兼之鹿柴先生苦心
始於丁巳春成於巳未冬歷四十餘月而
方告竣其中議論確當臨摹詳晰固畫學
之金針至若鐫刻神巧渲染精工誠藝林
之寶玩也賞鑒者幸無汲涉輕置焉

武林陳扶搖識